SHUFA DENGJI KAOSHI JIAOCHENG

楷书

书法等级考试教程 描临版

荆霄鹏·书

长江出版传媒
Changjiang Publishing & Media

湖北美术出版社
Hubei Fine Arts Publishing House

图书在版编目（ＣＩＰ）数据

书法等级考试教程：描临版. 楷书 / 荆霄鹏书. --武汉 ：湖北美术出版社，2012.6（2021.1 重印）

ISBN 978-7-5394-5234-0

Ⅰ. ①书… Ⅱ. ①荆… Ⅲ. ①楷书－书法－水平考试－教材 Ⅳ. ①J292.11

中国版本图书馆 CIP 数据核字(2012)第 116665 号

书法等级考试教程：描临版

楷 书

© 荆霄鹏　书

出版发行：长江出版传媒　湖北美术出版社

地　　址：武汉市洪山区雄楚大街 268 号 B 座

电　　话：(027)87391256　87391503

邮政编码：430070

网　　址：http://www.hbapress.com.cn

E-mail: hbapress@vip.sina.com

印　　刷：崇阳文昌印务股份有限公司

开　　本：889mm×1194mm　1/16

印　　张：5

版　　次：2012 年 10 月第 1 版　2021 年 1 月第 12 次印刷

定　　价：25.00 元

习字必备

◆ 正确的坐姿、握姿

1. 正确的坐姿：

头部端正，眼睛离桌面约一尺；双肩放平，双臂左右撑开，右手手握笔；上身正直，胸离桌子一拳远；两脚自然踏稳。

2. 正确的握姿：

用右手的大拇指、食指、中指分别从三个方向捏住离笔尖3厘米的笔杆下端，使笔杆和纸面约呈45°角。

◆ 书写工具的选择

1. 笔的选择：

三年级以下，宜用软硬适中的铅笔书写；三年级及以上，宜用笔尖粗细适当的钢笔书写；成人可根据个人喜好选择书写用笔。

2. 纸张的选择：

三年级以下，宜用带有"田字格"的纸张书写；三年级及以上，宜用带有"方格""横线格"等的纸张书写；成人可根据个人喜好选择书写用纸。

◆ 选一本适合自己的好帖

学习硬笔书法，选帖是一个重要的环节，字帖的选择是否恰当，直接关系到学习效果的好坏。选择字帖时，首先应选择规范、实用的字帖；其次可根据个人喜好，选择自己喜欢的字体；最后要关注字帖中所讲到的习字方法是否适合自己并行之有效。

◆ 科学的习字方法

1. 习字时应先摹写，等到摹写熟练后再开始临写。临写一般分为对临和背临两种：对临即对着字帖临写；背临则是将字帖内容熟记于心，自行书写。为了达成由摹写到背临的飞跃，习字者应以临为主，摹为辅，可自行准备纸张反复练习。

2. 定时、定量地习字，建议每天练习30分钟，书写1~2页内容。

3. 由易到难地选择字体，习字过程中忌随意变换字体。

4. 时刻保持心平气和的习字心态，忌急躁。

目 录
CONTENTS

楷书又称正书，或称真书。宋《宣和书谱》："汉初有王次仲者，始以隶字作楷书"，认为楷书是由古隶演变而成的。据传："孔子墓上，子贡植的一株楷树，枝干挺直而不屈曲。"楷书笔画简爽，必须如"楷树"之枝干也。

古人学书法有这一种说法："学书须先楷法，作字必先大字。大字以颜为法，中楷以欧为法，中楷既熟，然后敛为小楷，以钟王为法。"然根据多年实验研究结果表明：初学写字，不宜先学太大的字，中楷比较适合。

小楷，顾名思义，是楷书之小者，创始于三国魏时的钟繇，他原是一位最杰出的隶书权威大家，所作楷书的笔意，亦脱胎于汉隶，笔势恍如飞鸿戏海，极生动之致。惟结体宽扁，横画长而直画短，仍存隶分的遗意，然已备尽楷法，实为正书之祖。到了东晋王羲之，将小楷书法更加以悉心钻研，使之达到了尽善尽美的境界，亦奠立了中国优美小楷书法的欣赏标准。

一般说来，写小字与写大字是大不相同的，其原则上是：写大字要紧密无间，而写小字要使其宽绰有余。也就是说：写大字要能做到有小字似的精密；而写小字要能做到有大字似的宽绰，故古人所谓"作大字要如小字，而作小字要如大字。"

写小字的重心与笔画的配合，则与大字无大差异。至于运笔，则略有不同。小字运笔要圆润、娟秀、挺拔、整齐；大字要雄壮、厚重。大字下笔时用逆锋（藏锋），收笔时用回锋；小字下笔时则不必用逆锋，宜用尖锋，收笔时宜用顿笔或提笔。譬如写一横，起笔处或尖而收笔处则圆；写一竖，起笔或略顿，收笔则尖；撇笔则起笔或肥而收笔瘦；捺笔则起笔或瘦而收笔肥，同时也要向左向右略作弧形，笔画生动而有情致。"点"欲尖而圆，"挑"欲尖而锐，"弯"欲内方而外圆，"钩"半曲半直。运笔灵活多变，莫可限定。

写小字为古代日用必需的技能，以前科举应试时，阅卷的人大半是先看字，然后再看文章。字如不好，文章再好也要受影响。清朝考状元、翰林，尤注重书法。是故凡状元、翰林的小字，都是精妙的。如今硬笔盛行，用毛笔写小字的人不多，但用硬笔临写小楷字帖有事半功倍的明显进效。

小楷字帖甚多，传世的墨拓中，要以晋唐小楷的声名最为显赫。其中通常包括了魏时钟繇的《宣示帖》《荐季直表》，东晋王羲之的《乐毅论》《曹娥碑》《黄庭经》，王献之的《洛神赋十三行》，唐代钟绍京的《灵飞经》等。还有元代赵孟頫、明代王宠、祝允明等小楷作品的墨迹影印本也是非常好的范本。

绿蚁新醅酒
红泥小火炉
晚来天欲雪
能饮一杯无

第二章 基本笔画

JIBEN BIHUA

　　基本笔画是构成汉字最基本的元素，无论多么复杂的汉字，都是由基本笔画所组成的。如果把一个字当作一栋建筑，那么基本笔画就是构成建筑的砖瓦木材，砖瓦木材质量上乘，整个建筑就会稳固，基本笔画书写准确，就为全字的美观和谐打下了良好的基础。因此，基本笔画的训练，是至关重要的一环，应予以足够的重视。

长横

中部稍细

书写节奏
"慢—快—慢"

　　起笔略顿即走，收笔略顿。整体稍向右上倾斜，中部稍有弧度。

一	一	一			一	一	
二	二	二			二	二	
工	工	工			工	工	
上	上	上			上	上	
五	五	五			五	五	

短横

注意斜度

左轻右重

　　起笔轻灵，触纸即右走，收笔略顿，抗肩角度稍大。

一	一	一			一	一	
三	三	三			三	三	
土	土	土			土	土	
干	干	干			干	干	
王	王	王			王	王	

拓展练习

| 玉 | 米 | | 十 | 分 | | 木 | 头 | | 天 | 地 | | 士 | 兵 |
| | | | | | | | | | | | | | |

书法知识　　篆书：一种呈现曲直相映乐趣的文字。广义的篆书，包括甲骨文和金文。一般将秦以前的古文及籀文称为大篆，而由李斯整理出来的文字称为小篆。

短竖

顿笔下行

书写速度不宜快

起笔稍顿，触纸即下走，收笔略顿，一般情况下略带斜势，与右部呼应。

垂露竖

顿笔不可过大

顿笔后向上回锋
整体呈垂露状

起笔稍顿即向下行笔，至收笔处稍顿即向上回锋，呈垂露状，笔画整体要直挺。

拓展练习

功夫　左边　树木　占卜　非常

书法知识　　隶书：隶书的出现，是为了适应日益繁复的文书处理。为适应快速书写的要求，秦狱吏程邈整理出了这种方块字体，改变了篆书的结构，强调横平竖直、间架紧密。隶书写起来比篆书方便很多，为后代子孙节省了许多宝贵的时间，在艺术上亦具有极大的价值。

悬针竖

顿笔下行

出锋呈悬针状

起笔稍顿即向下行笔，至收笔处果断出锋，呈悬针状，笔画整体要直挺。

丨	丨	丨		丨	丨		
川	川	川		川	川		
年	年	年		年	年		
甲	甲	甲		甲	甲		
丰	丰	丰		丰	丰		

竖撇

弯度勿大

撇末出锋

轻触纸垂直向下行笔，渐行渐重，至笔画三分之二处转左下行笔，渐提出锋。

丿	丿	丿		丿	丿		
尺	尺	尺		尺	尺		
丈	丈	丈		丈	丈		
几	几	几		几	几		
月	月	月		月	月		

拓展练习

| 丰 | 收 | | 年 | 纪 | | 羊 | 羔 | | 用 | 途 | | 月 | 亮 |
| | | | | | | | | | | | | | |

书法知识　楷书：楷书是在汉朝时以隶书字体作楷法加以改进的书体，今人称之为正楷。由于楷书写起来比隶书方便，因此汉朝开始，人们都采用它以适应实际生活的需要。至唐代大盛，出现众多楷书名家。

短撇

顿笔角度
迅速撇出

起笔重顿，折笔向左下，迅速出锋，短而锋利。角度视具体情况而定。

千 千 千　　千 千

夭 夭 夭　　夭 夭

手 手 手　　手 手

秋 秋 秋　　秋 秋

斜撇

顿笔角度
轻快收笔

起笔重顿，即向左下行笔，行笔过半则渐提出锋，舒展劲挺，忌软弱无力。

人 人 人　　人 人

右 右 右　　右 右

左 左 左　　左 左

文 文 文　　文 文

拓展练习

床	前	明	月	光,	疑	是	地	上	霜。
举	头	望	明	月,	低	头	思	故	乡。

书法知识　　行书：行书介于楷书与草书之间，是楷书的变体。一般认为，行书起源于东汉刘德升，至魏初钟繇稍变其体。二王造其极，行书乃大行于世。东晋王羲之的《兰亭序》可为行书代表。

斜捺

捺身斜下

捺脚宜平

轻触纸即向右下行笔,渐行渐重,至捺脚处转笔平出,渐提笔出锋。

丶	丶	丶			丶	丶	
乂	乂	乂			乂	乂	
天	天	天			天	天	
长	长	长			长	长	
分	分	分			分	分	

平捺

捺脚稍上翘

一波三折

触纸右行一小段转而向右下行笔,渐行渐重,至捺脚转笔向右,渐提出锋。一波三折,注意行笔角度和长短。

～	～	～			～	～	
之	之	之			之	之	
迁	迁	迁			迁	迁	
达	达	达			达	达	
起	起	起			起	起	

拓展练习

| 形 | 状 | 及 | 格 | 大 | 小 | 题 | 目 | 建 | 立 |
| | | | | | | | | | |

书法知识

草书:草书分为章草和今草,其结构省简,笔画纠连,书写流畅迅速,不易识别。然而也由于以上的特点,故有"书已尽而意不止,笔虽停而势不穷"之妙。东晋王献之,唐代张旭、怀素等,均是草书名家。

右点

入笔要轻

收笔要重

凌空取势，向右下方轻落，触纸后由轻至重速顿，缓提收笔。

丶 六 太 下 小

左点

入笔宜轻

收笔要重

凌空取势，向左下方轻落，触纸后由轻至重速顿，缓提收笔。

丶 冗 宁 军 罕

拓展练习

良好　主要　文化　罕见　宁静

书法知识　经生书：书法术语。唐代佛教盛行，佛经多以端正工稳的小楷手抄而成。抄写佛经的人被称为"经生"，其字则称为"经生书"。这类手抄的经卷，在书法上亦有较高的水准，反映出唐代书法艺术已相当普及。

短提

，　，　，　　　　　，　，

功　功　功　　　　　功　功

地　地　地　　　　　地　地

玩　玩　玩　　　　　玩　玩

江　江　江　　　　　江　江

顿笔角度 → 由慢到快 由粗到细

起笔向右下顿笔，然后迅速向右上提笔出锋，要刚健有力。

撇折

乚　乚　乚　　　　　乚　乚

云　云　云　　　　　云　云

去　去　去　　　　　去　去

红　红　红　　　　　红　红

纱　纱　纱　　　　　纱　纱

不宜圆转 乚 用笔干脆

稍顿起笔，撇画略带弧度，速度较慢。转折处干脆，快速写提，注意撇和提的角度。

拓展练习

功劳　地方　冰雹　云朵　红色

书法知识　　六分半书：清代郑燮（板桥）法书的别称。郑燮以隶书笔法形体渗入行楷，有时以兰竹用笔出之，自成面目。此书体介于楷隶之间，而隶多于楷。隶书又称"八分"，因此郑燮谑称自己所创非隶非楷的书体为"六分半书"。

弯钩

露锋入笔

钩要迅速

起笔轻落下行，稍带弧度，然后顿笔向左上出锋，其形勿倒。

)	)	)				)	)		
了	了	了				了	了		
好	好	好				好	好		
家	家	家				家	家		
猎	猎	猎				猎	猎		

卧钩

斜入　回钩

平行

触纸即向右弧形行笔，渐行渐重，至末向左上方出锋，其形呈上抱之势。

ㄥ	ㄥ	ㄥ				ㄥ	ㄥ		
心	心	心				心	心		
必	必	必				必	必		
志	志	志				志	志		
怒	怒	怒				怒	怒		

拓展练习

| 小 | 狗 | 家 | 人 | 态 | 度 | 抱 | 怨 | 悠 | 闲 |
| | | | | | | | | | |

书法知识　榜书：古曰"署书"，又称"擘窠大字"。明代费瀛《大书长语》曰："秦废古文，书存八体，其曰署书者，以大字题署官殿匾额也。"早在秦统一文字以前，榜书就出现了。相传第一位书写榜书的书法家是秦丞相李斯。

斜钩

不宜过弯 ← 钩部向上

顿笔向右下行，至下部向上出钩，斜画中部稍弯稍细，忌力弱身疲。

	㇏	㇏	㇏			㇏	㇏	
戈	戈	戈			戈	戈	
我	我	我			我	我	
或	或	或			或	或	
武	武	武			武	武	

横折

顿笔不宜大

注意折笔角度

即横加竖，横末之顿笔即为竖起笔之顿笔。注意转折形态自然，刚健有力。

㇕	㇕	㇕			㇕	㇕	
见	见	见			见	见	
书	书	书			书	书	
贝	贝	贝			贝	贝	
寻	寻	寻			寻	寻	

拓展练习

| 空 | 山 | 不 | 见 | 人 | ， | 但 | 闻 | 人 | 语 | 响 | 。 |
| 返 | 景 | 入 | 深 | 林 | ， | 复 | 照 | 青 | 苔 | 上 | 。 |

书法知识　　漆书：书体名。①以漆书写的文字。相传在孔子住宅的壁中发现的古文经书，以漆为之，故名。南朝梁周兴嗣《千字文》称："漆书壁经。"②特指清代金农晚午隶书体。他把点画破圆为方，横粗竖细，似用漆帚刷成。

横钩

注意斜度

似鸟视胸

触纸即向右行，略抗肩，至横末顿笔速向左下出钩，像"鸟之视胸"乃妙。

一	一	一		一	一	
皮	皮	皮		皮	皮	
军	军	军		军	军	
字	字	字		字	字	
虎	虎	虎		虎	虎	

横撇

顿笔不宜大

由慢至快撇末出锋

短横抗肩右行，至末顿笔，作撇之势向左下撇出。

フ	フ	フ		フ	フ	
又	又	又		又	又	
久	久	久		久	久	
夕	夕	夕		夕	夕	
各	各	各		各	各	

拓展练习

给 予	它 们	宁 静	久 远	名 人

书法知识

指书：指用手指蘸墨作书，亦称"染指书"。马永卿《懒真子》记载："温公（司马光）私第在县宇之西北，诸处榜额皆公染指书。其法以第二指尖抵第一指头，指头微曲，染墨书之。"

横折钩(低)

顿笔干脆

注意力度

横笔由轻到重，横末之顿笔即为竖起笔之顿笔。书写时，注意转折形态自然，刚健有力。

丁	丁	丁		丁	丁	
而	而	而		而	而	
丙	丙	丙		丙	丙	
尚	尚	尚		尚	尚	
雨	雨	雨		雨	雨	

横折钩(高)

顿笔干脆

注意力度

即横折加钩，短横稍抗肩，转折处宜方不宜圆，竖末轻顿，向左上挑出，尖锐有力。

丁	丁	丁		丁	丁	
门	门	门		门	门	
加	加	加		加	加	
同	同	同		同	同	
明	明	明		明	明	

拓展练习

| 勾 | 结 | | 包 | 子 | | 勺 | 子 | | 丹 | 青 | | 小 | 舟 |
| | | | | | | | | | | | | | |

书法知识　飞白：指用特殊方法书写的字体。笔画呈枯丝平行，转折处笔路毕显。相传东汉灵帝时修饰鸿都门工匠用刷白粉的帚子刷字，蔡邕得到启发而作飞白书。今人将书画的干枯笔触部分泛称为"飞白"。

横折弯

注意角度

圆转自然

与横折弯钩相似，但不出钩，折部稍直，弯部圆转、放平。

乙 乙 乙　　乙 乙

朵 朵 朵　　朵 朵

没 没 没　　没 没

沿 沿 沿　　沿 沿

投 投 投　　投 投

横折提

提速要快

稍稍倾斜

先写短横，抗肩右行，至末顿笔下行写竖，至末顿笔向右上提出。竖部可微斜。

乛 乛 乛　　乛 乛

认 认 认　　认 认

让 让 让　　让 让

识 识 识　　识 识

设 设 设　　设 设

拓展练习

铅 笔　一 般　设 计　考 试　计 划

书法知识　碑：碑的称谓最早起于汉。起初，碑上并没有文字，后来在碑石上书写或镌刻死者功德，使之流传后世，于是发展成有字碑。刻碑盛行于东汉。

横斜钩

注意角度 弯部稍大

钩部向上

即短横加斜钩，短横抗肩右行，至末顿笔向下行笔写斜钩，折笔干净利索，斜笔力挺圆劲。

乙	乙	乙			乙	乙	
飞	飞	飞			飞	飞	
风	风	风			风	风	
气	气	气			气	气	
凤	凤	凤			凤	凤	

横折折撇

注意角度变化

短横抗肩右行，折角顿笔即向左下行笔，稍行折向右，稍行再向左下作弧撇，撇画宜长。

了	了	了			了	了	
及	及	及			及	及	
吸	吸	吸			吸	吸	
延	延	延			延	延	
极	极	极			极	极	

拓展练习

| 执 | 着 | 汽 | 车 | 氛 | 围 | 庭 | 院 | 建 | 立 |

书法知识　　墓志：魏晋南北朝时，由于朝廷明令禁碑，人们把碑石缩小，放于墓室之中，这个缩小了的碑，就叫墓志。

横折折折钩

注意角度变化

短横抗肩，折角向左下写短竖，稍行折向右，稍顿折向左下，至末出钩。

飞	飞	飞			飞	飞	
乃	乃	乃			乃	乃	
仍	仍	仍			仍	仍	
孕	孕	孕			孕	孕	
秀	秀	秀			秀	秀	

竖折

转折干脆利索

横笔稍带弧度

即竖加横，竖末之顿笔即为横笔起笔之顿笔，要求自然有力。

∟	∟	∟			∟	∟	
山	山	山			山	山	
臣	臣	臣			臣	臣	
区	区	区			区	区	
断	断	断			断	断	

拓展练习

| 孕 | 育 | | 仍 | 然 | | 秀 | 丽 | | 涵 | 养 | | 绘 | 画 |
| | | | | | | | | | | | | | |

书法知识　　帖：帖最早指书写在帛或纸上的墨迹原作。因墨迹难以广传，于是人们把它们刻在木头、石头上，多次拓制，广为流传，这样，就把刻于木石上的这些原来的墨迹作品及其拓本统称"帖"。刻帖的目的是传播书法，是为书法研习者提供历代名家法书的复制品。

竖钩

顿笔后下行

中部宜细

即竖加钩，竖末稍向左下轻顿即迅速向左上出锋，钩部不能太长。

丨	丨	丨			丨	丨	
于	于	于			于	于	
才	才	才			才	才	
水	水	水			水	水	
示	示	示			示	示	

竖提

竖末略左带以蓄势
提速要快

先写竖画，至末稍稍左偏，顿笔，向右上提出。注意提笔前顿笔的左收蓄势。

乚	乚	乚			乚	乚	
以	以	以			以	以	
农	农	农			农	农	
衣	衣	衣			衣	衣	
民	民	民			民	民	

拓展练习

| 解 | 落 | 三 | 秋 | 叶, | 能 | 开 | 二 | 月 | 花。 |
| 过 | 江 | 千 | 尺 | 浪, | 入 | 竹 | 万 | 竿 | 斜。 |

书法知识

临摹："临"与"摹"是传统有效的练习笔画结构的方法。"临"是将字帖摆在面前，对照着写。"摹"分为"描红"和"仿影"两种。"描红"是用墨笔在印有红字的纸上描字，"仿影"是用薄纸蒙在字帖上隔纸描写。

竖弯

圆转自然

短竖下行，至笔末自然向右弯，角度约呈九十度，忌上翘或出钩。

四 四 四 　四 四

西 西 西 　西 西

洒 洒 洒 　洒 洒

酒 酒 酒 　酒 酒

竖弯钩

稍斜而下　上钩　平行

落笔下行，至末渐行渐转为向右行笔，至末提笔出钩。竖稍斜，弯底部放平，又叫"浮鹅钩"。

儿 儿 儿 　儿 儿

也 也 也 　也 也

元 元 元 　元 元

允 允 允 　允 允

拓展练习

清醒　栖息　国家　兄弟　混乱

书法知识　　中锋：书法术语。指行笔时将毛笔的主锋保持在点画的中线，以区别于偏锋。用中锋写出的线条浑圆而有质感。

横折弯钩

抗肩
斜下　乙　上钩
平行

稍顿入笔写短横，抗肩右行，至末顿笔向左下行笔写浮鹅钩，出钩迅速有力，底部宜平。

乙	乙	乙			乙	乙		
几	几	几			几	几		
九	九	九			九	九		
凡	凡	凡			凡	凡		
旭	旭	旭			旭	旭		

竖折折钩

注意角度变化
𠃋

短竖末顿笔，写横折钩，注意第二折稍向左斜，出钩锋利。

𠃌	𠃌	𠃌			𠃌	𠃌		
与	与	与			与	与		
马	马	马			马	马		
鸟	鸟	鸟			鸟	鸟		
写	写	写			写	写		

拓展练习

| 究 | 竟 | 仇 | 恨 | 乌 | 云 | 小 | 鸟 | 考 | 试 |
| | | | | | | | | | |

书法知识　　题款：又称落款、款题、题画、题字，或称为款识。中国画的题款，包含"题"和"款"两方面内容：在画上题写诗文为"题"；在画上记写年月签署姓名别号和钤盖印章等，称为"款"。

模拟试题（一）

姓名 _____　　　等级 _____　　　分数 _____

一、命题对临。（55 分）

请把下列生字对临在方格中。

要求：笔画准确，结构形似。

一	二	土	日	田	口	干	木	月	丈	天
个	大	之	太	写	军	千	丰	人	义	丫
过	达	功	玩	了	手	必	思	式	或	我
寻	里	皮	字	又	叉	刀	力	认	识	各
几	凡	没	设	飞	凤	及	吸	乃	扔	沿
西	洒	酒	也	冗	元	马	鸟	与	乌	云

二、 命题创作。(35分)

根据下列要求和命题内容进行创作。

要求:笔画及位置准确,结构匀称、比例得当,通篇字的大小匀称、协调,字在方格内居中。

春　晓

孟浩然

春眠不觉晓,处处闻啼鸟。
夜来风雨声,花落知多少。

塞下曲

卢　纶

月黑雁飞高,单于夜遁逃。
欲将轻骑逐,大雪满弓刀。

三、判断题。判断下列句子的对错,对的在( )里打"√",错的在( )里打"×"。(10分)

1.运笔以下方手掌侧端为支点,腕关节运笔为辅,手指关节运笔为主。　　　　( )

2.小楷,顾名思义,是楷书之小者,创始于三国魏时的钟繇。　　　　( )

3."临摹"是学习书法最重要的方法。　　　　( )

4.碑的称谓最早起于秦。　　　　( )

5.被誉为"天下第二行书"的是《黄州寒食帖》。　　　　( )

众鸟高飞尽
孤云独去闲
相看两不厌
只有敬亭山

荆霄鹏

第三章 偏旁部首

PIANPANG BUSHOU

　　古代人们称合体字的左方为"偏"，右方为"旁"，现在人们把合体字的组成部分统称为"偏旁"。东汉许慎编写《说文解字》时，把含有相同表意成分的字排列在一起，"分别部居"，每"部"第一个字就是"部首"。通俗地说，部首是表意的偏旁。由于偏旁部首具有"归类"的作用，因此写好偏旁部首，就会对写好所有汉字起到提纲挈领的作用，达到事半功倍的效果。

两点水

冫 冫 冫 冫 冫

提笔勿平
注意指向

冷 冷 冷 冷 冷

冯 冯 冯 冯 冯

点为右点，提
的方向直指上点
之末。

况 况 况 况 况

冲 冲 冲 冲 冲

言字旁

讠 讠 讠 讠 讠

点稍靠右

折部竖直

订 订 订 订 订

认 认 认 认 认

首点勿左偏，
处于竖之正上方，
短横扛肩，折部竖
直或稍斜。

讯 讯 讯 讯 讯

说 说 说 说 说

拓展练习

冻	结	寒	冷	名	次	讥	笑	搭	讪

书法知识

聚墨痕：书法术语。中锋运笔，因笔锋常在点画中间行进，笔画的中央线着墨最多，凝聚成一道浓重的墨线痕迹，故得名。

左耳刀

右部对齐

不可悬针

在左时"耳轮"小，竖画劲直为垂露竖。

右耳刀

下廓稍大

一般悬针

在右时"耳轮"大，竖画用悬针竖。

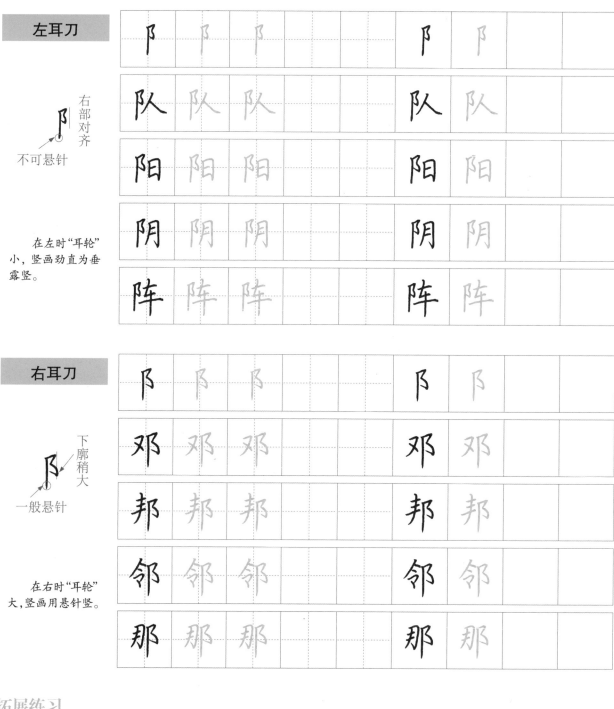

拓展练习

向晚意不适，驱车登古原。

夕阳无限好，只是近黄昏。

书法知识　　侧锋：指在下笔时笔锋稍偏侧，落墨处即显出偏侧的姿势。清代朱和羹《临池心解》称："正锋取劲，侧笔取妍。王羲之书《兰亭》，取妍处时带侧笔。"这种笔法最初在隶书向楷书演变时形成。

倒八

ⅶ
左低右高

点、撇相向，首点用右点，短撇自稍高处起笔，整体形态左低右高。

ⅶ	ⅶ	ⅶ			ⅶ	ⅶ	
兰	兰	兰			兰	兰	
半	半	半			半	半	
关	关	关			关	关	
并	并	并			并	并	

八部

捺起笔稍高 →
八
下齐平

先撇后捺，撇笔短劲，捺起笔稍高，捺底与撇底稍齐平。

八	八	八			八	八	
公	公	公			公	公	
分	分	分			分	分	
兮	兮	兮			兮	兮	
盆	盆	盆			盆	盆	

拓展练习

| 首 | 领 | 利 | 益 | 羊 | 羔 | 公 | 平 | 贫 | 困 |
| | | | | | | | | | |

书法知识　折锋：书法术语。笔画转换方向时的一种用笔技法。以别于转笔，即笔锋在转换方向时，由阳面翻向阴面，或由阴面翻向阳面。折锋利于点画方劲和创造姿势。清代包世臣语："以搭锋养势，以折锋取姿。"

单人旁

注意搭接位置

亻

撇用斜撇，弯度不要太大，竖起笔锋与撇接，竖要直。

亻	亻	亻			亻	亻		
亿	亿	亿			亿	亿		
仁	仁	仁			仁	仁		
仅	仅	仅			仅	仅		
休	休	休			休	休		

人字头

左右相称

人

撇捺舒展

撇弯度不宜过大，捺首与撇上部相接，捺底部与撇底部齐平或稍高，撇捺舒展。

人	人	人			人	人		
个	个	个			个	个		
令	令	令			令	令		
合	合	合			合	合		
介	介	介			介	介		

拓展练习

| 代 | 表 | 仅 | 有 | 会 | 合 | 舍 | 得 | 仓 | 库 |
| | | | | | | | | | |

书法知识　裹锋：书法术语，用笔的一种技法。起笔向反方向运行，"欲下先上，欲右先左"。以后凡是取圆势用笔，笔锋内敛于点画中间的称"裹锋"。"裹锋"一般用于隶、篆。

区字框

框形规整

稍抗肩

两横有力

先横再竖折，上横稍抗肩，竖起笔与上横起笔相接，折有棱角，下横较平较长。

匚	匚	匚			匚	匚	
区	区	区			区	区	
医	医	医			医	医	
匡	匡	匡			匡	匡	
匣	匣	匣			匣	匣	

立刀旁

坚挺有力

钩勿大

短竖竖直或微斜，竖钩挺直，出钩锋利。

刂	刂	刂			刂	刂	
刊	刊	刊			刊	刊	
刑	刑	刑			刑	刑	
列	列	列			列	列	
刘	刘	刘			刘	刘	

拓展练习

松	下	问	童	子	，	言	师	采	药	去	。
只	在	此	山	中	，	云	深	不	知	处	。

书法知识　　逆锋：书法术语，运笔的一种技法。为了藏锋铺毫，用逆入的方法，"欲下先上，欲右先左"，以反方向行笔的称"逆锋"。用逆锋作字，往往具有苍劲老辣的意趣。"裹锋"为"逆锋"的一种。

几部

钩部向上

几

下齐平

撇用竖撇，横折弯钩起笔与撇起笔相接，折稍向左斜，弯底部要平，直钩向上。

几	几	几			几	几		
凡	凡	凡			凡	凡		
凭	凭	凭			凭	凭		
秃	秃	秃			秃	秃		
沉	沉	沉			沉	沉		

包字头

折笔回带

勹

起笔轻

短撇，内部笔画多则竖稍直，内部无笔画或少笔画，则竖稍内斜。

勹	勹	勹			勹	勹		
勺	勺	勺			勺	勺		
匀	匀	匀			匀	匀		
包	包	包			包	包		
旬	旬	旬			旬	旬		

拓展练习

| 地 | 壳 | 任 | 凭 | 中 | 旬 | 包 | 容 | 均 | 匀 |

书法知识

金错刀：①对颤笔书写的美称。《谈荟》载："南唐李后主善书，作颤笔摎曲之状，遒劲如寒松霜竹，谓之金错刀。"②字体名。唐代张彦远《法书要录》载有金错刀书一体。具体形式与风貌今已不可查考。

又部

横勿长

又

撇捺相称

短横抗肩，撇笔劲挺，在左部时捺化为点，以让右部，上不封口。

又	又	又		又	又		
支	支	支		支	支		
双	双	双		双	双		
劝	劝	劝		劝	劝		
观	观	观		观	观		

三点水

距离不同

氵

注意指向

三点呈弧形排列，两点下俯，提的方向直指首点之末。

氵	氵	氵		氵	氵		
汁	汁	汁		汁	汁		
汗	汗	汗		汗	汗		
河	河	河		河	河		
池	池	池		池	池		

拓展练习

| 欢 | 快 | | 劝 | 导 | | 汇 | 报 | | 池 | 塘 | | 汉 | 族 |

书法知识

筋书：书法术语。劲健遒丽的点画谓之"筋书"。东晋卫夫人《笔阵图》称："善笔力者多骨，不善笔力者多肉，多骨微肉者谓之筋书。多力丰筋者圣。"颜真卿、柳公权之书有"颜筋柳骨"之说。

竖心旁

右点小、平、高

左点大、直、低

先两点再竖，竖为垂露竖。左点低右点高，左点直右点斜，竖劲挺有力度。

忄	忄	忄		忄	忄
忆	忆	忆		忆	忆
忙	忙	忙		忙	忙
忧	忧	忧		忧	忧
悦	悦	悦		悦	悦

宝盖

左点直立　首点居正

似鸟视胸

首点位于"宀"部正上方，左点稍直，长横稍斜，短钩似"鸟之视胸"乃妙。

宀	宀	宀		宀	宀
宁	宁	宁		宁	宁
它	它	它		它	它
守	守	守		守	守
安	安	安		安	安

拓展练习

| 奇 | 怪 | | 热 | 忱 | | 怜 | 惜 | | 灾 | 难 | | 完 | 全 |
| | | | | | | | | | | | | |

书法知识 提按：书法术语。写字运笔中起落的动作。提，是笔向上拎；按，是笔往下顿。行笔有提按动作，就能保持笔锋居中、笔画丰富。

广字头

广　广　广　　　　广　广

庄　庄　庄　　　　庄　庄

店　店　店　　　　店　店

庆　庆　庆　　　　庆　庆

庞　庞　庞　　　　庞　庞

首点高昂

撇为竖撇

广

右处横之中上部，撇与横的起笔相接，横稍抗肩，撇为竖撇。

门字框

门　门　门　　　　门　门

闪　闪　闪　　　　闪　闪

问　问　问　　　　问　问

闲　闲　闲　　　　闲　闲

闻　闻　闻　　　　闻　闻

上部齐平

门

右竖稍低

笔顺为"点—竖—横折钩"，上稍窄下稍宽，左稍短右稍长。

拓展练习

店铺	库存	庙宇	闭合	闯祸

书法知识　　笔势连贯：是指点画之间的气势相连，互相呼应，合为一体。而不是每一笔都各自为政、互不相干。注意了点画间的连贯，就能使整个字显得生动而有气势。

走之底

辶 辶 辶　　辶 辶
辽 辽 辽　　辽 辽
迁 迁 迁　　迁 迁
过 过 过　　过 过
进 进 进　　进 进

短横抗肩

首点靠右

一波三折

形状呈弧度上抱之势，右点点靠右，短横抗肩，长捺一波三折，注意横折折撇的写法。

草字头

艹 艹 艹　　艹 艹
艺 艺 艺　　艺 艺
节 节 节　　节 节
芒 芒 芒　　芒 芒
花 花 花　　花 花

略呈羊角状

艹

起笔略高

下宽则"艹"部窄，下窄则"艹"部宽，第一竖稍斜，第二竖化为短撇。

拓展练习

远 方　急 迫　遇 见　芝 麻　花 朵

书法知识

布白匀称：是指按照字形笔画，对每字、每笔作适当安排，而不是"均匀"的意思。字有长短、大小不同，笔画有多少、斜正的不同，要统筹考虑，不要死板地大小划一，失去了书法的表现力。

提手旁

右部出头勿长
提笔左探

短横抗肩，竖直而挺，由短横三分之二处穿下，提的起笔位置稍靠左。

才 才 才 　 才 才

打 打 打 　 打 打

扑 扑 扑 　 扑 扑

扔 扔 扔 　 扔 扔

抚 抚 抚 　 抚 抚

口字旁

呈倒梯形
注意搭接

整体呈倒梯形，注意笔画之间的搭接。

口 口 口 　 口 口

叶 叶 叶 　 叶 叶

叫 叫 叫 　 叫 叫

唱 唱 唱 　 唱 唱

喝 喝 喝 　 喝 喝

拓展练习

批评　抢夺　投入　枝叶　叫喊

书法知识　横平竖直：这是点画结构的一个基本原则。"横平竖直"的"平"，不是水平的平，而是指平衡，横画必须稍带斜势。竖要直，不可歪斜倾侧。

方框

两横平行 — 口 — 注意搭接

口 | 口 | 口 | | | | 口 | 口 | |

国 | 国 | 国 | | | | 国 | 国 | |

园 | 园 | 园 | | | | 园 | 园 | |

竖长方形，其大小根据框内结构大小而定，折的尾部低于左竖的尾部，折可带附钩。

圆 | 圆 | 圆 | | | | 圆 | 圆 | |

困 | 困 | 困 | | | | 困 | 困 | |

双人旁

长短不同 — 指向不同 — 彳 — 竖末垂露

彳 | 彳 | 彳 | | | | 彳 | 彳 | |

行 | 行 | 行 | | | | 行 | 行 | |

很 | 很 | 很 | | | | 很 | 很 | |

上撇短下撇长，下撇起笔在上撇之中部，竖接下撇之中上部。

往 | 往 | 往 | | | | 往 | 往 | |

彼 | 彼 | 彼 | | | | 彼 | 彼 | |

拓展练习

因 为 | 团 圆 | 回 家 | 征 用 | 徘 徊

蚕头雁尾：指的是隶书的横画的形状。起笔部位回锋逆入，形状像蚕虫的头，收笔部位顺锋挑出，形状像大雁的尾巴。隶书的横画要求舒展自然，飘逸圆劲。

反犬旁

犭 右部对齐 弧度勿大

指向不同

先写首撇，弯钩起笔位于首撇中部，末撇不宜长，笔画均斜而其形正。

犭	犭	犭		犭	犭		
犯	犯	犯		犯	犯		
狂	狂	狂		狂	狂		
狗	狗	狗		狗	狗		
狼	狼	狼		狼	狼		

食字旁

饣 竖笔左靠 提笔稍长

首撇长，钩短，竖之起笔靠左，注意提笔稍左移以取势。

饣	饣	饣		饣	饣		
饥	饥	饥		饥	饥		
饮	饮	饮		饮	饮		
饭	饭	饭		饭	饭		
饿	饿	饿		饿	饿		

拓展练习

| 墙 | 角 | 数 | 枝 | 梅 | ， | 凌 | 寒 | 独 | 自 | 开 | 。 |
| 遥 | 知 | 不 | 是 | 雪 | ， | 为 | 有 | 暗 | 香 | 来 | 。 |

书法知识　　九宫格：是我国书法史上临帖写仿的一种界格，又叫"九方格"，即在纸上画出若干大方框，再于每个方框内分出九个小方格，以便确定每个笔画的准确定位。

女字旁

提笔大抗肩
横不露头
女
右部对齐

在字侧首撇长，其形要正，横不穿过次撇，化横为提。

女	女	女		女	女	
如	如	如		如	如	
奶	奶	奶		奶	奶	
妈	妈	妈		妈	妈	
姨	姨	姨		姨	姨	

绞丝旁

起笔稍顿
纟
角度不同

注意两个折部的大小和方向，提与右部笔画相呼应。

纟	纟	纟		纟	纟	
纯	纯	纯		纯	纯	
约	约	约		约	约	
级	级	级		级	级	
线	线	线		线	线	

拓展练习

| 好 | 看 | | 阿 | 姨 | | 纠 | 正 | | 纪 | 律 | | 纱 | 布 |

书法知识

单钩：一种执笔法。以食指钩笔管与拇指形成钳制状，余指皆垫于笔管后方。因只以一食指主钩，故称"单钩"，与当前写钢笔字的握笔一样。世传北宋苏轼作书用此法。

木字旁

竖上下比例 1 : 2

木

右部取齐

横笔略抗肩，竖笔至偏右处直穿而下，撇勿过长，点勿过高。

木	木	木		木	木		
柏	柏	柏		柏	柏		
树	树	树		树	树		
村	村	村		村	村		
林	林	林		林	林		

气字头

平行等距

气

垂直向上出钩

首撇勿长，三横略抗肩、平行等距，斜钩圆劲有力。

气	气	气		气	气		
氛	氛	氛		氛	氛		
氧	氧	氧		氧	氧		
氢	氢	氢		氢	氢		
氛	氛	氛		氛	氛		

拓展练习

| 春 | 眠 | 不 | 觉 | 晓 | , | 处 | 处 | 闻 | 啼 | 鸟 | 。 |
| 夜 | 来 | 风 | 雨 | 声 | , | 花 | 落 | 知 | 多 | 少 | 。 |

书法知识　运腕：书法术语，用笔的一种技法。写字除了要有正确的执笔法，还需要有正确的运腕法。北宋黄庭坚称"腕随己意左右"，手腕上下提按和左右调正笔锋，"令笔心常在点画中行"，写出的笔道才坚劲圆浑，富有质感。

火字旁

火	火	火			火	火		
灯	灯	灯			灯	灯		
炉	炉	炉			炉	炉		
焰	焰	焰			焰	焰		
烟	烟	烟			烟	烟		

首点低　短撇高

火

撇为竖撇

左点低，短撇高，撇为竖撇，捺化为点，以让右部。

心字底

心	心	心			心	心		
志	志	志			志	志		
忠	忠	忠			忠	忠		
总	总	总			总	总		
思	思	思			思	思		

弯形准确

心

下取平

在上时，中点稍高；在下时，中点靠下以让上部，注意卧钩的写法。

拓展练习

炊	烟		火	炬		煤	炉		忍	让		忘	记

书法知识　双钩：书法术语。①复制法书的技法。②一种书写"空心字"的技法。③执笔法的指法名称，与"单钩"相对。今以食指与中指上节、中节之间相叠，钩住笔管，称为"双钩"。

示字旁

ネ ネ ネ　　　ネ ネ

横抗肩　首点宜高
ネ
竖用垂露

社 社 社　　　社 社

礼 礼 礼　　　礼 礼

首点尽量靠右，短横抗肩，竖要直，末点内缩以让右。

视 视 视　　　视 视

祝 祝 祝　　　祝 祝

日字旁

日 日 日　　　日 日

横笔等距
日 □
在左时其形勿宽

旷 旷 旷　　　旷 旷

时 时 时　　　时 时

其身勿扁，三横平行等距。在上时，右竖下部与横接；在其他部位时，右竖下部低于末横。

明 明 明　　　明 明

晴 晴 晴　　　晴 晴

拓展练习

祖先　祈祷　昨天　旷工　夜晚

书法知识　　运笔：指字的点画书写之过程。南宋姜夔《续书谱》称："大抵执之欲紧，运之欲活，不可以指运笔，当以腕运笔，执之在手，手不主运；运之在腕，腕不主执。"

贝字旁

| 贝 | 贝 | 贝 | | | 贝 | 贝 | |

三笔等距

贝

点勿大

购	购	购			购	购	
则	则	则			则	则	
财	财	财			财	财	

两竖平行，撇为竖撇，平均分割框内空间。在左时点靠上，在其他部位时点靠下。

| 赐 | 赐 | 赐 | | | 赐 | 赐 | |

牛字旁

| 牛 | 牛 | 牛 | | | 牛 | 牛 | |

竖笔劲挺

提笔左探　右部勿长

牛

| 牲 | 牲 | 牲 | | | 牲 | 牲 | |
| 牦 | 牦 | 牦 | | | 牦 | 牦 | |

短撇轻快撇出，短横抗肩，竖画为垂露竖，末提左探勿长，以启右部。

| 物 | 物 | 物 | | | 物 | 物 | |
| 牺 | 牺 | 牺 | | | 牺 | 牺 | |

拓展练习

| 赏 | 赐 | | 贬 | 低 | | 购 | 买 | | 牧 | 业 | | 特 | 别 |

| | | | | | | | | | | | | | |

书法知识　执笔法：写毛笔字的抓笔方法。大致有双苞（双钩）、单苞（单钩）、回腕、撮管、握管、搦管等。
"五字执笔法"（即擫、压、钩、格、抵）如今被认为是最符合生理机能而又行之有效的方法。

反文旁

左收右放

攵

撇捺舒展

攵	攵	攵			攵	攵		

首撇上仰，短横抗肩，两撇上下对齐，捺笔舒展。

收	收	收			收	收		
改	改	改			改	改		
攻	攻	攻			攻	攻		
放	放	放			放	放		

爪字头

起笔稍顿

爫

方向不同

为爪部之变异，位于字头。撇稍平，下三点呈导下之势。

爫	爫	爫			爫	爫		
妥	妥	妥			妥	妥		
受	受	受			受	受		
采	采	采			采	采		
爱	爱	爱			爱	爱		

拓展练习

失	败		孜	然		觅	食		小	溪		感	受

书法知识　扇面：在中国历史上，历代书画家都喜欢在扇面上绘画或书写以抒情达意，或为他人收藏或赠友人以诗留念。存字和画的扇子，保持原样的叫成扇，为便于收藏而装裱成册页的习称扇面。

水部

水　水　水　　　水　水

水
捺笔舒展
竖笔挺劲

冰　冰　冰　　　冰　冰

沓　沓　沓　　　沓　沓

竖钩挺直，短横抗肩，横撇与竖不接，撇捺与竖相接，捺笔舒展。

浆　浆　浆　　　浆　浆

泉　泉　泉　　　泉　泉

病字旁

疒　疒　疒　　　疒　疒

疒
点居中
撇勿过弯

疗　疗　疗　　　疗　疗

疼　疼　疼　　　疼　疼

首点高昂，撇为竖撇，其点与横接，提宜稍平。

病　病　病　　　病　病

痛　痛　痛　　　痛　痛

拓展练习

牧 童 骑 黄 牛，歌 声 振 林 樾。

意 欲 捕 鸣 蝉，忽 然 闭 口 立。

书法知识　　枕腕：书法术语。写字时，把左手掌背平垫于右手腕下，称为枕腕，多用于书写小字，也有使用臂搁（多以竹、木制）等物代替左手垫于腕下的。

田字旁

在左时其形勿宽

竖笔等距

横笔等距、抗肩

三横平行等距，三竖等距。在下或右时，右竖下部低于左竖，在上或左时则反之。

田	田	田		田	田		
町	町	町		町	町		
略	略	略		略	略		
畔	畔	畔		畔	畔		
畦	畦	畦		畦	畦		

皿字底

等距

长横略带弧度

两横平行，四竖等距。在左时，两横抗肩，长横化提；在下时，安置平稳。

皿	皿	皿		皿	皿		
盆	盆	盆		盆	盆		
盈	盈	盈		盈	盈		
盐	盐	盐		盐	盐		
益	益	益		益	益		

拓展练习

| 省 略 | 湖 畔 | 监 督 | 丰 盛 | 头 盔 |
| | | | | |

书法知识　提腕：肘部不离桌，腕凌空悬起，称为提腕。提腕，写小字尚可，书写大字时，仅仅提腕还不能上下纵横自如地运笔。

金字旁

右部取长

金

末横稍长

首撇短促有力，三横平行等距抗肩，竖提劲挺。

钅	钅	钅		钅	钅	
针	针	针		针	针	
钉	钉	钉		钉	钉	
钦	钦	钦		钦	钦	
钓	钓	钓		钓	钓	

禾木旁

撇勿长

禾

注意右齐

竖劲直

首撇较平，竖画穿过横画右端三分之一处，捺化为点，以让右部。

禾	禾	禾		禾	禾	
私	私	私		私	私	
秋	秋	秋		秋	秋	
科	科	科		科	科	
积	积	积		积	积	

拓展练习

| 钢 | 铁 | 钞 | 票 | 铅 | 笔 | 私 | 自 | 秋 | 天 |
| | | | | | | | | | |

书法知识　悬腕：书写时，肘部离桌，右上臂凭空悬起，叫悬腕，也叫悬肘。悬腕能使肩部松开，全身之力由于无所挂碍，才得集注毫端，点画方能劲健。

衣字底

撇捺相称

竖笔位置靠左

横稍抗肩，首撇宜长，竖提稍左斜，捺笔舒展。

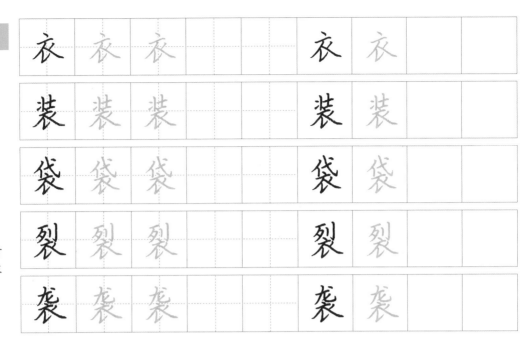

衣　衣　衣　　　衣　衣

装　装　装　　　装　装

袋　袋　袋　　　袋　袋

裂　裂　裂　　　裂　裂

袭　袭　袭　　　袭　袭

竹字头

右部略高于左部

左部小，右部大

在上时，两竖化点，左右两部左稍低右稍高。

⺮　⺮　⺮　　　⺮　⺮

竿　竿　竿　　　竿　竿

笔　笔　笔　　　笔　笔

笋　笋　笋　　　笋　笋

笠　笠　笠　　　笠　笠

拓展练习

危　楼　高　百　尺，手　可　摘　星　辰。

不　敢　高　声　语，恐　惊　天　上　人。

书法知识　回腕法：腕掌弯回，手指相对胸前，故称回腕法。清代何绍基写字即采用此法。执笔时，腕肘高悬，能提能按，然不能左右起倒，有违常人的生理机能，故一般不采用。

雨字头

雨

四点向中竖靠拢

雨	雨	雨			雨	雨
雪	雪	雪			雪	雪
零	零	零			零	零
雷	雷	雷			雷	雷
雾	雾	雾			雾	雾

一般处于上部，左竖化点，右竖化钩，中竖要正，四点向中竖靠拢。

隹字边

竖笔要长　佳　四横等距

末横稍长

佳	佳	佳			佳	佳
难	难	难			难	难
雀	雀	雀			雀	雀
雄	雄	雄			雄	雄
灌	灌	灌			灌	灌

首撇较长，四横平行等距，末横最长。

拓展练习

冰	雹		需	要		云	霄	售	后	英	雄

书法知识　笔断意连，指一字之中笔画的来龙去脉要交代清楚，笔画之间牵丝萦带，顾盼有致，笔虽断而意却连。因此要求在写字时要一气呵成，气息流畅。

走字旁

竖起笔宜高　右部取齐
走
一波三折

三横平行等距抗肩，第二横左探，短撇起笔位置较高，末捺一波三折。

走　走　走　　　走　走
赴　赴　赴　　　赴　赴
赶　赶　赶　　　赶　赶
越　越　越　　　越　越
趋　趋　趋　　　趋　趋

豕部

长短不同
豕
钩居正中

横稍抗肩，诸撇长短不同，弯钩收笔居正，出钩果断，注意弯钩弧度，整体重心要稳。

豕　豕　豕　　　豕　豕
家　家　家　　　家　家
象　象　象　　　象　象
豚　豚　豚　　　豚　豚
豪　豪　豪　　　豪　豪

拓展练习

君 自 故 乡 来，应 知 故 乡 事。
来 日 绮 窗 前，寒 梅 著 花 未？

书法知识

瘦金体：是宋徽宗赵佶创造的书法字体，其特点是瘦直挺拔，横画收笔带钩，竖画收笔带点，撇如匕首，捺如切刀，竖钩细长，是一种风格相当独特的字体。瘦金体代表作有《楷书千字文》《秾芳诗》等。

模拟试题(二)

姓名 _____   等级 _____   分数 _____

一、命题对临。(55分)

请把下列生字对临在方格中。

要求：笔画准确，结构形似。

冰	况	认	讯	队	阳	邓	邦	半	关
仁	仅	个	令	勺	匀	区	巨	刊	刑
风	秃	江	河	支	反	分	召	忆	忙
宁	它	李	树	庞	庄	闪	问	艺	节
打	扑	叶	右	国	园	很	往	红	约
雪	零	雷	雾	难	雀	雄	焦	越	赶

二、命题创作。(35分)

根据下列要求和命题内容进行创作。

要求:笔画及位置准确,结构匀称、比例得当,通篇字的大小匀称、协调。

渔家傲

范仲淹

塞下秋来风景异,衡阳雁去无留意。

四面边声连角起。千嶂里,长烟落日孤城闭。

浊酒一杯家万里,燕然未勒归无计。

羌管悠悠霜满地。人不寐,将军白发征夫泪。

三、判断题。判断下列句子的对错,对的在( )里打"√",错的在( )里打"×"。(10分)

1. 小字运笔要圆润、娟秀、挺拔、整齐;大字要雄壮、厚重。　　　　　　　　　　　(　　)

2. 帖最早指书写在帛或纸上的墨迹原作。　　　　　　　　　　　　　　　　　　　(　　)

3. 竖笔之间没有点、撇、捺的,间距基本相等。　　　　　　　　　　　　　　　　　(　　)

4. "横平竖直"中的"平",指的是水平。　　　　　　　　　　　　　　　　　　　　(　　)

千山鸟飞绝
万径人踪灭
孤舟蓑笠翁
独钓寒江雪

荆霄鹏

第四章 间架结构

JIANJIA JIEGOU

　　间架结构与基本笔画、偏旁部首有着密切的关系。要把好的笔画、偏旁部首合理地组合在一起，成为一个造型优美的汉字，这就需要对汉字间架结构规律的了解与熟练把握。历代书家关于间架结构的论述很多，阐述的角度各有不同，但是其内涵大同小异。作者结合多年教学及技法研究，对间架结构予以解析，相信会对读者的书法学习起到积极的作用，达到良好的学习效果。

横平竖直

| 十 | 十 | 十 | | 十 | 十 | | |

稍稍倾斜
视觉平衡

十

竖直向下

横画平稳，稍向右上斜，并非完全水平；竖画挺劲，并非垂直，视字形可斜可正，可曲可直。

工	工	工		工	工		
干	干	干		干	干		
土	土	土		土	土		
正	正	正		正	正		

四围平整

左右相称，切忌"一边倒"

两横平行 困

注意搭接

全包围的字，"口"部要写得严整坚实。

困	困	困		困	困		
图	图	图		图	图		
固	固	固		固	固		
国	国	国		国	国		
圆	圆	圆		圆	圆		

拓展练习

| 士 | 兵 | | 干 | 燥 | | 因 | 为 | | 图 | 书 | | 圆 | 圈 |
| | | | | | | | | | | | | | |

书法知识　馆阁体：泛指清朝的一种实用小楷，其特点为点画圆润光洁，字形方正整齐，墨色浓重黑亮。后人概括为"乌、方、光"三字诀。因其主要是为皇家或朝廷服务的，所以被称为"馆阁体"，具体表现在考试和公文等实用性书写中。

横笔等距

三	三	三			三	三		
王	王	王			王	王		
日	日	日			日	日		
目	目	目			目	目		
田	田	田			田	田		

三

三横等距

横笔之间没有点、撇、捺的，间距基本相等。

竖笔等距

川	川	川			川	川		
曲	曲	曲			曲	曲		
而	而	而			而	而		
州	州	州			州	州		
刑	刑	刑			刑	刑		

川

三竖等距

竖笔之间没有点、撇、捺的，间距基本相等。

拓展练习

| 田 | 园 | | 月 | 亮 | | 其 | 中 | | 器 | 皿 | | 要 | 求 |
| | | | | | | | | | | | | | |

书法知识 横幅：作品幅式呈横式，横向字数大于竖向字数。一幅完整的书法作品包括正文、落款、印章。一般的书写顺序是由上至下，由右至左，正文完成后写落款。正文用楷书，则落款可用楷书或行书，落款字不可大于正文字，印章不可过大。

交叉居中

交叉点居中
与首点对正

文

有撇捺交叉的
字，交点应居中。

文	文	文			文	文		
义	义	义			义	义		
父	父	父			父	父		
圣	圣	圣			圣	圣		
交	交	交			交	交		

撇捺停匀

撇捺基本对称

李

有撇捺开张的
字，撇捺收放要相
互呼应，以求平衡。

李	李	李			李	李		
禾	禾	禾			禾	禾		
衣	衣	衣			衣	衣		
春	春	春			春	春		
盒	盒	盒			盒	盒		

拓展练习

| 驳 | 斥 | | 文 | 化 | | 义 | 气 | | 春 | 天 | | 永 | 远 |
| | | | | | | | | | | | | | |

书法知识　　条幅：作品幅式呈竖式，竖向字数大于横向字数。如末行正文下方留空较大，落款可写在末行正文的下方；如末行正文较满，也可以另起一行落款。落款布局时应留出余地，款的底端一般不与正文平齐。如另起行落款，则上下均不宜与正文平齐。印章不可过大。

下部迎就

全 全 全　　　　全 全

各 各 各　　　　各 各

吞 吞 吞　　　　吞 吞

金 金 金　　　　金 金

奋 奋 奋　　　　奋 奋

全

撇捺罩下　　↑
　　　向上迎就

撇捺开张罩下
之字，其下部应上
移迎就，其形一体。

小字勿大

白 白 白　　　　白 白

口 口 口　　　　口 口

日 日 日　　　　日 日

壬 壬 壬　　　　壬 壬

百 百 百　　　　百 百

白

字形不要过大

有些独体字字
形小，写大显得散
漫，应写得小而
精神。

拓展练习

小	娃	撑	小	艇	偷	采	白	莲	回
不	解	藏	踪	迹	浮	萍	一	道	开

**书法
知识**　　一笔书：指草书字间自始至终笔画连绵相续，如一笔连续书成，故称一笔书。

大字勿小

字形不要过小

囊

笔画繁多的字，不要刻意写小，笔画要安排妥帖，落落大方。

囊	囊	囊			囊	囊		
鹅	鹅	鹅			鹅	鹅		
撇	撇	撇			撇	撇		
藏	藏	藏			藏	藏		
豪	豪	豪			豪	豪		

长字勿扁

目

横向笔画多整体稍长

字形长的字，不要刻意往扁里压，否则失其紧凑。

目	目	目			目	目		
日	日	日			日	日		
月	月	月			月	月		
弓	弓	弓			弓	弓		
周	周	周			周	周		

拓展练习

婴	儿	喉	咙	萝	卜	周	围	出	去

书法知识

《张猛龙碑》以方笔为主。笔力强劲，其结构严谨。古人评云"已开欧虞门户"，被世人誉为"魏碑第一"。

扁字勿长

皿 皿 皿 　 皿 皿

皿

纵向笔画多
整体稍扁

四 四 四 　 四 四

日 日 日 　 日 日

字形扁的字,
不要刻意往长里
写,否则失其稳重。

亡 亡 亡 　 亡 亡

已 已 已 　 已 已

无画包竖

口 口 口 　 口 口

口

竖不可向下出头

右 右 右 　 右 右

吕 吕 吕 　 吕 吕

"口"字内部
没有笔画时,末横
拦右竖。

只 只 只 　 只 只

占 占 占 　 占 占

拓展练习

灭	亡		自	己		已	经		呼	吸		品	质

书法知识　条屏:条屏又称屏条,根据条数分为四条屏、六条屏、八条屏等,条屏的数量必须是双数,每条的尺寸必须相同。如果是楷书创作,每条的字数也要相同(末屏因有落款,与前几屏有区别)。

有画包横

日 日 日   日 日

日

横不可向右出头

目 目 目   目 目

"口"字内部
有笔画时，右竖拦
末横。

田 田 田   田 田

四 四 四   四 四

困 困 困   困 困

纵腕有力

戈 戈 戈   戈 戈

坚挺有力

戈

飞 飞 飞   飞 飞

风 风 风   风 风

纵腕之笔，力
若张弓,忌身弯力弱。

成 成 成   成 成

试 试 试   试 试

拓展练习

春 种 一 粒 粟, 秋 收 万 颗 子。

四 海 无 闲 田, 农 夫 犹 饿 死。

**书法
知识**　　团扇：团扇即圆形扇面，属于扇面形式的一种。扇面作品形式分为普通扇面、椭圆形扇面、团扇、异
形扇面等。扇面虽然尺幅不大，但由于其特殊的形制，在章法安排和书写上都有很大难度。

横腕俊秀

挺劲有力
不可过弯

飞

自然圆转
不可过大

横腕之笔要圆
润俊秀,忌生硬粗拙。

乙	乙	乙				乙	乙		
几	几	几				几	几		
九	九	九				九	九		
也	也	也				也	也		
色	色	色				色	色		

四点错落

高低错落
有变化

杰

等距

下四点应有高
低、大小、方向之别。

杰	杰	杰				杰	杰		
点	点	点				点	点		
羔	羔	羔				羔	羔		
烈	烈	烈				烈	烈		
焦	焦	焦				焦	焦		

拓展练习

| 也 | 许 | | 记 | 忆 | | 丸 | 子 | | 烈 | 火 | | 焦 | 急 |
| | | | | | | | | | | | | | |

**书法
知识**
隋朝《龙藏寺碑》为隋碑之冠。风度端凝，婉丽道媚，集南北书风之大成。此碑开欧阳询、虞世南
等书法风格之先河。

斜字有力

凝重有力
不可一掠而过

夕

身斜之字，应
着重笔画的力度，
增强坚挺之意。

夕	夕	夕		夕	夕		
歹	歹	歹		歹	歹		
万	万	万		万	万		
乡	乡	乡		乡	乡		
方	方	方		方	方		

穿插匀称

繁

笔画交错复杂
的字，要伸缩张弛，
各得其所，空间分
割均匀，笔画平行
等距。

繁	繁	繁		繁	繁		
胸	胸	胸		胸	胸		
撇	撇	撇		撇	撇		
露	露	露		露	露		
跳	跳	跳		跳	跳		

拓展练习

| 多 | 少 | 考 | 试 | 匆 | 忙 | 爱 | 戴 | 敏 | 捷 |
| | | | | | | | | | |

书法知识

汉代是汉字书法发展史上继往开来、由不断变革而趋于定型的关键时期，至汉末，我国汉字书体已基本齐备。隶书是汉代普遍使用的书体。汉代隶书又称分书或八分，笔法不但日臻纯熟，而且书体风格多样。到东汉，隶书进入了书体成熟、流派纷呈的阶段，名家迭出。

强化主笔

中

挺直有力
显其精神

字中必有一笔
是主,担其脊梁,余
笔是宾,辅以装饰。

中	中	中			中	中	
少	少	少			少	少	
左	左	左			左	左	
申	申	申			申	申	
共	共	共			共	共	

中宫收紧

中部笔画要紧凑

政

外围笔画开张

字的中部的笔
画要匀而密,求其
稳重,四围笔画开
张,求其精神。

政	政	政			政	政	
吹	吹	吹			吹	吹	
奈	奈	奈			奈	奈	
紧	紧	紧			紧	紧	
敏	敏	敏			敏	敏	

拓展练习

| 强 | 欲 | 登 | 高 | 去, | 无 | 人 | 送 | 酒 | 来。 |
| 遥 | 怜 | 故 | 园 | 菊, | 应 | 傍 | 战 | 场 | 开。 |

书法知识 　钟繇是现今流行的楷书的创始者,书法界有一种说法,说"书圣"王羲之的书法学自卫夫人,而卫夫人学自钟繇。这样算起来王羲之还是钟繇的徒孙,可见钟繇在书法史上的地位。

诸横收放

有收有放
主次分明

寺

多横的字，要收放有致，全收全放其形必败。

寺	寺	寺			寺	寺		
亲	亲	亲			亲	亲		
佳	佳	佳			佳	佳		
青	青	青			青	青		
兼	兼	兼			兼	兼		

诸撇参差

长度、指向
略有区别

杉

多撇的字，要收放有致，撇的指向略有区别。

杉	杉	杉			杉	杉		
衫	衫	衫			衫	衫		
参	参	参			参	参		
彩	彩	彩			彩	彩		
形	形	形			形	形		

拓展练习

| 秉 | 性 | | 艰 | 难 | | 注 | 射 | | 影 | 响 | | 胡 | 须 |
| | | | | | | | | | | | | | |

书法故事

东汉大书法家张芝，年轻时学习书法十分刻苦。他天天勤奋练字，废寝忘食，几天就写秃了一支笔，一个月就要用掉几锭墨。每天写完字后，张芝就到自家后院的池塘里洗笔洗砚，久而久之，池水竟变黑了。

同形相叠

多口

多 多 多　　多 多

炎 炎 炎　　炎 炎

哥 哥 哥　　哥 哥

吕 吕 吕　　吕 吕

圭 圭 圭　　圭 圭

上紧而下松，上小而下大，注意重心对正。

同形相并

林口

林 林 林　　林 林

从 从 从　　从 从

羽 羽 羽　　羽 羽

朋 朋 朋　　朋 朋

棘 棘 棘　　棘 棘

左紧而右松，左收而右放，一般左小右大，大小差别不可太悬殊。

拓展练习

昌 盛　多 少　丛 林　艳 丽　琴 声

书法故事　颜真卿的字很平民化，他不故弄玄虚，每一笔、每一画都很朴实地表现出来，雄浑大气，充满了作者真挚的情感。如《裴将军帖》《修书帖》《守政帖》《广平帖》《送刘太冲序》等。

同形三叠

磊

分布均匀，既不拥挤，也不松散。上部正，下两部左略收而右略放。

磊	磊	磊			磊	磊		
众	众	众			众	众		
品	品	品			品	品		
晶	晶	晶			晶	晶		
森	森	森			森	森		

字形相向

幼

注意穿插

相向之字，两部要互相避让，收缩纵展合理。

幼	幼	幼			幼	幼		
切	切	切			切	切		
纫	纫	纫			纫	纫		
场	场	场			场	场		
稍	稍	稍			稍	稍		

拓展练习

| 月 | 暗 | 送 | 湖 | 风 | ， | 相 | 寻 | 路 | 不 | 通 | 。 |
| 菱 | 歌 | 唱 | 不 | 彻 | ， | 知 | 在 | 此 | 塘 | 中 | 。 |

书法故事

唐代书家柳公权书法名气很高，与颜真卿并称为"颜柳"。当时的公卿大臣都认为，碑刻或其墓志的书法若不能请到柳公权来写，就是子孙不孝。甚至外夷来向朝廷入贡，常另外出资购买柳公权的书法作品带回去，可见他是如何的声名远播了。

字形相背

北 北 北　北 北

扎 扎 扎　扎 扎

旅 旅 旅　旅 旅

肥 肥 肥　肥 肥

乳 乳 乳　乳 乳

北
↓↓ 下齐平
两竖直下

相背之字，两部紧靠，有互倚之意。

上展下收

案 案 案　案 案

条 条 条　条 条

音 音 音　音 音

背 背 背　背 背

贷 贷 贷　贷 贷

案

"上展"是指上部向左右伸展，为下部留足空间，下部严谨稳重，以承托字的重心。

拓展练习

服装　木板　登高　山峦　各自

书法故事　智永禅师为隋、唐间人，是王羲之的第七世孙，因非常用功练习书法，用坏的毛笔都弃置在大竹篓里，经年累月，积了五大篓，于是他自己作了铭文，埋葬了这些笔头，称为"退笔冢"。

上收下展

哀

上部书写时要紧凑，为下部预留足够的伸展空间。

哀	哀	哀			哀	哀		
兄	兄	兄			兄	兄		
装	装	装			装	装		
恩	恩	恩			恩	恩		
晃	晃	晃			晃	晃		

左收右放

左收
致
右放

左部书写时要为右部预留足够的空间，"收"应严谨，"放"应舒展，左小而右大。

致	致	致			致	致		
放	放	放			放	放		
故	故	故			故	故		
政	政	政			政	政		
效	效	效			效	效		

拓展练习

| 盖 | 子 | | 兄 | 弟 | | 吊 | 灯 | | 旋 | 转 | | 故 | 事 |
| | | | | | | | | | | | | | |

书法故事　　嵊西独秀山为王羲之读书处，山上观音殿悬有"右军旧游地"匾额；山麓建桃源乡乡主庙，奉王右军为乡主。嵊北嶀山的羲之坪、嵊东的清隐寺、嵊新交界的王罕岭等，均为王羲之游憩之地，至今尚有遗迹可寻。

左放右收

撇不超过横　平行等距　相

左部笔画伸展，右部笔画收敛，右部位置一般稍低。

相	相	相			相	相		
扣	扣	扣			扣	扣		
和	和	和			和	和		
知	知	知			知	知		
杠	杠	杠			杠	杠		

上正下斜

罗

上正者竖笔垂直，下斜者重心不倒。

罗	罗	罗			罗	罗		
易	易	易			易	易		
毒	毒	毒			毒	毒		
戛	戛	戛			戛	戛		
思	思	思			思	思		

拓展练习

| 叙 | 述 | | 凯 | 旋 | | 罗 | 列 | | 另 | 外 | | 男 | 子 |

书法故事　　王献之七岁开始学习书法，王羲之指着家里的十八只大水缸说："要想写出像样的字，你得写干这十八缸水。"后来，王献之经过长年累月的练习，十八缸水写完了，他的字大有长进，终于成为年轻有为的书法家。他与父亲王羲之被后人合称"二王"。

上斜下正

鸢

鸢 鸢 鸢 　　　鸢 鸢

名 名 名 　　　名 名

尧 尧 尧 　　　尧 尧

炙 炙 炙 　　　炙 炙

盏 盏 盏 　　　盏 盏

上斜者取其势,下正者取其力。

左斜右正

歼

歼 歼 歼 　　　歼 歼

欢 欢 欢 　　　欢 欢

研 研 研 　　　研 研

烟 烟 烟 　　　烟 烟

旋 旋 旋 　　　旋 旋

左斜者右靠为辅，右正者直立为主。

拓展练习

真挚　色彩　争吵　神圣　旋转

书法故事　　王羲之从小学习书法，七岁就写得一手好字。成年后，他仍然刻苦练习书法，即使闲坐时，也常常用指头在膝盖比拟点画，时间长了，裤子都被磨得破损了。王羲之还虚心向别人学习，博采众长，成为我国历史上鼎鼎有名的书法家，人称"书圣"。

左正右斜

试　试　试　　　　试　试

代　代　代　　　　代　代

伐　伐　伐　　　　伐　伐

吵　吵　吵　　　　吵　吵

衫　衫　衫　　　　衫　衫

试

左正者直立为主,右斜者靠左为辅。

上左下包围

区　区　区　　　　区　区

巨　巨　巨　　　　巨　巨

匡　匡　匡　　　　匡　匡

匠　匠　匠　　　　匠　匠

医　医　医　　　　医　医

区

左框树其形,内部布白均匀,不可局促。

拓展练习

落 日 清 江 里, 荆 歌 艳 楚 腰。

采 莲 从 小 惯, 十 五 即 乘 潮。

书法故事　　怀素是一位大书法家。他小时候家里很穷，买不起纸张，他就在芭蕉叶上书写。由于怀素用功太勤，老芭蕉叶都给他剥光了，嫩的又舍不得摘。于是，他想了个办法，站在芭蕉树前写字，满树的芭蕉叶都被他写满了字。这就是有名的"怀素芭蕉练字"。

左上右包围

同	同	同			同	同		
问	问	问			问	问		
闪	闪	闪			闪	闪		
间	间	间			间	间		
内	内	内			内	内		

同

上框树其形，内部布白均匀，不可局促。

左下右包围

函	函	函			函	函		
凶	凶	凶			凶	凶		
凼	凼	凼			凼	凼		
画	画	画			画	画		
幽	幽	幽			幽	幽		

函

下框稳而健，内部笔画不可张扬。

拓展练习

再	次		肉	食		山	冈		幽	静		图	画

书法故事

　　王羲之喜欢鹅。有一个道士，他想要王羲之给他写一卷《道德经》。可是，他知道王羲之是不肯轻易替人抄写经书的。后来，他打听到王羲之喜欢白鹅，就特地养了一批品种好的鹅。王羲之听说后，真的跑去看了，并为他书写了一卷经书换了那些鹅。

左下包围

赵

框为主，塑其形，上为辅，笔画内敛。

赵	赵	赵			赵	赵		
远	远	远			远	远		
赴	赴	赴			赴	赴		
越	越	越			越	越		
题	题	题			题	题		

右上包围

旬

框为主，塑其形，下为辅，笔画内敛，其形稍左。

旬	旬	旬			旬	旬		
句	句	句			句	句		
匀	匀	匀			匀	匀		
勾	勾	勾			勾	勾		
苟	苟	苟			苟	苟		

拓展练习

| 到 | 达 | | 起 | 床 | | 这 | 里 | | 询 | 问 | | 汛 | 期 |

书法故事　萧何的字写得非常好，尤其擅长用秃笔在牌匾上写字。萧何写字如同带兵打仗一样，手腕的变动好像是在指挥千军万马，写出来的字好像他所带领的文臣武将，每一个字都很有气势。

模拟试题（三）

姓名 _____　　　等级 _____　　　分数 _____

一、命题对临。（55分）

请把下列生字对临在方格中。

要求：笔画准确，结构形似。

土	工	三	木	王	左	禾	水	合	金
勾	句	四	上	右	吕	日	目	成	飞
几	九	杰	点	夕	万	旬	匀	中	申
政	言	兼	衫	杉	彩	从	林	晶	森
幼	劝	条	音	装	恩	相	物	皂	易
过	越	题	远	赴	胸	偏	苟	鹅	撇

二、命题创作。（35分）

根据下列要求和命题内容进行创作。

要求：笔画及位置准确，结构匀称、比例得当，通篇字的大小匀称、协调，字在格内居中。

陋室铭

刘禹锡

　　山不在高，有仙则名。水不在深，有龙则灵。斯是陋室，惟吾德馨。苔痕上阶绿，草色入帘青。谈笑有鸿儒，往来无白丁。可以调素琴，阅金经。无丝竹之乱耳，无案牍之劳形。南阳诸葛庐，西蜀子云亭。孔子云："何陋之有？"

三、选择题。将正确答案填在括号内。（10分）

以下两幅作品哪幅是横幅？（　　　　）

　　饿 夫 田 无 四 颗 收 粟 一 春
　　死 犹 农 闲 海 子 万 秋 粒 种

A

　　落 日 清 江 里
　　荆 歌 艳 楚 腰
　　采 莲 从 小 惯
　　十 五 即 乘 潮

B

春眠不觉晓 处处闻啼鸟

夜来风雨声 花落知多少

移舟泊烟渚 日暮客愁新

野旷天低树 江清月近人

己亥金秋荆霄鹏抄于太原

牧童骑黄牛，歌声振林樾。意欲捕鸣蝉，忽然闭口立。

泉眼无声惜细流，树阴照水爱晴柔。小荷才露尖尖角，早有蜻蜓立上头。

荆霄鹏

清晨入古寺，初日照高林。
曲径通幽处，禅房花木深。
山光悦鸟性，潭影空人心。
万籁此都寂，但余钟磬音。

唐诗二首　荆霄鹏书

好雨知时节，当春乃发生。
随风潜入夜，润物细无声。
野径云俱黑，江船火独明。
晓看红湿处，花重锦官城。

半亩方塘一鉴开天
光云影共徘徊问渠
那得清如许为有源
头活水来胜日寻芳
泗水滨无边光景一
时新等闲识得东风
面万紫千红总是春

己亥菊月荆霄鹏书